누에의 어느 봄날

글 · 그림 나카야 미와 | 옮김 김난주

웅진주니어

누에콩이 가장 아끼는 보물은 바로 침대예요.
구름처럼 푹신푹신하고 솜털처럼 부드럽지요.
"아, 잘 잤다!"
누에콩은 오늘도 상쾌하게 눈을 떴어요.

어푸어푸 세수를 하고,

마른 풀로 만든 수건에 얼굴을 닦고는……

도토리 컵에 아침 이슬을 따라 마셔요.
아침에 맺힌 첫 이슬은 누에콩이 무척 좋아하는 거예요.
이슬을 꼴깍꼴깍 마시고 나면 밖으로 나가 볼 차례지요.

오늘은 민들레밭에 왔어요.

“와, 예쁘다! 하얀 솜털이 내 침대처럼 부드럽네!”

그때, 누에콩에게 좋은 생각이 떠올랐어요.

누에콩은 나뭇가지를 가져와 땅을 파기 시작했어요.
파고, 파고, 또 파내어 커다란 구멍을 만들었지요.

그리고 솜털이 보송보송한
민들레 씨앗을 한 아름 안고 와서는……

구멍 안에 소복이 깔았어요.
아늑한 민들레 침대를 만든 거예요.
"우아, 기분 좋아. 내 침대처럼 포근한걸?
친구들에게도 보여 줘야지!"

누에콩은 제일 먼저 초록풋콩네 집에 찾아갔어요.

“초록풋콩아, 안녕? 나, 진짜 멋진 거 만들었다! 보러 갈래?”

초록풋콩도 신이 나서 대답했어요.

“응, 보여 줘!”

그다음에는 완두콩 형제네 집에 갔어요.
"나, 진짜 멋진 거 만들었어. 보러 갈래?"
완두콩 형제는 나란히 대답했어요.
"응, 보러 갈래!"

껍질콩네 집에도 찾아갔지요.
"내가 진짜 멋진 거 만들었는데
보러 갈래?"
껍질콩도 얼른 대답했어요.
"응, 지금 갈래!"

그리고 또 땅콩네 집에 가려는데……

톡, 토독, 토도독. 토독, 토독!

"앗, 비가 오네!"

누에콩과 친구들은 서둘러 땅콩네 집으로 달려갔어요.
“땅콩아, 큰일 났어. 갑자기 비가 쏟아져!”
“그럼 우리 집에서 놀자. 어서 들어와!”
땅콩이 말했어요.

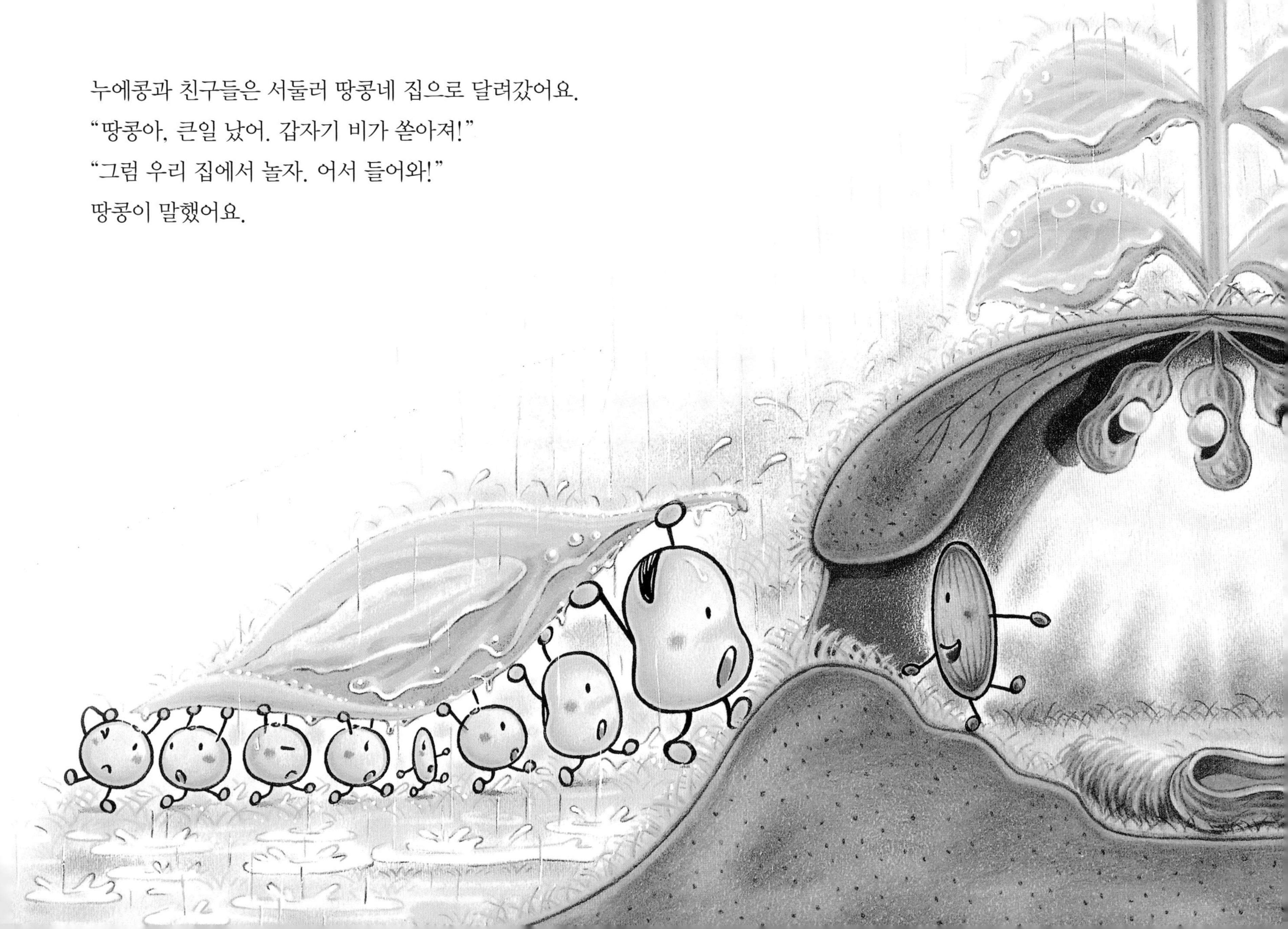

콩알 친구들은 게임을 하며 즐겁게 놀았어요.
한참 시간이 지나고, 땅콩이 말했어요.
"어? 비가 그친 것 같아!"
콩알 친구들은 입을 모아 한목소리로 물었어요.
"누에콩아, 네가 만들었다는 게 뭐야?
빨리 보여 줘, 빨리!"

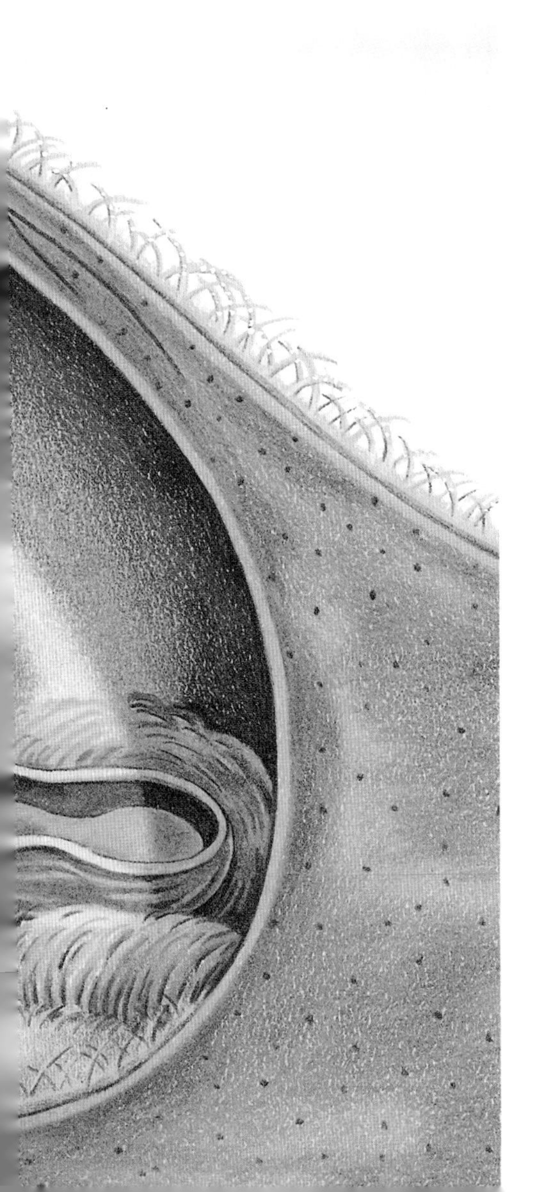

누에콩은 친구들을 데리고 땅콩네 집을 나섰어요.
“기대해도 좋아. 모두 깜짝 놀랄걸?”

그런데……

앗!

웅덩이가 되었네!

한참 내렸던 비 때문일까요?

누에콩이 만든 민들레 침대가 웅덩이로 변해 버렸어요.

소복이 깔아 둔 솜털도 빗물에 모두 씻겨 갔고요.

"에이, 진짜 멋졌는데……."
실망한 누에콩은 기운이 쭉 빠졌어요.
"누에콩아, 기운 내! 또 만들어서 보여 주면 되잖아."
콩알 친구들이 누에콩을 달래 주었어요.

그때, 껍질콩이 불쑥 말했어요.
"얘들아, 하늘 좀 봐!"

"우아! 무지개다!"

하늘에 커다란 무지개가 떴어요.
일곱 가지 빛깔로 아름답게 빛났지요.
완두콩 형제가 말했어요.
"무지개를 한번 잡아 볼 수 있을까?"

누에콩이 힘차게 말했어요.

“좋아, 그럼 모두 내 위로 올라와!”

콩알 친구들은 줄지어 차곡차곡 높은 탑을 만들었어요.

“영차, 영차! 조금만 더, 조금만 더!”

몸을 쭉 펴고 무지개로 손을 뻗는 순간……

으아아악!

모두 웅덩이에 퐁당, 퐁당, 퐁당!

"얘들아, 여기 좀 봐! 무지개야!"
누에콩이 반갑게 외쳤어요.
웅덩이 속에도 고운 무지개가 담겨 있었거든요.

"정말이네? 우리가 무지개를 잡았다!"

콩알 친구들이 함께 소리쳤어요.

"신난다! 누에콩이 만든 웅덩이에서 무지개를 잡았어!"

친구들은 나뭇잎으로 배를 만들어 웅덩이에 띄웠어요.
무지개를 따라 후후 입바람을 불었지요.
"와, 달려라! 달려!"

신나게 놀다 보니 금방 저녁이 되었어요.
“내일은 진짜로 멋진 걸 보여 줄게!”
누에콩은 친구들에게 약속했어요.
“그럼 내일 또 보자. 안녕!”

밤이 되었어요.

초록풋콩은
작고 아담한 침대,

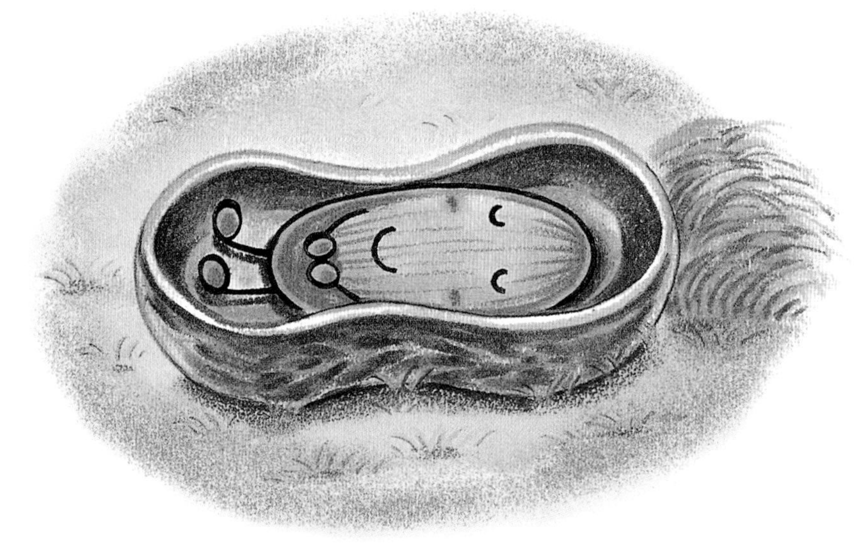

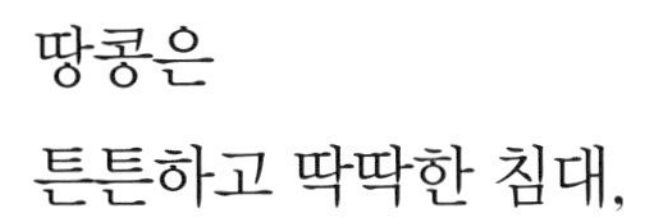

땅콩은
튼튼하고 딱딱한 침대,

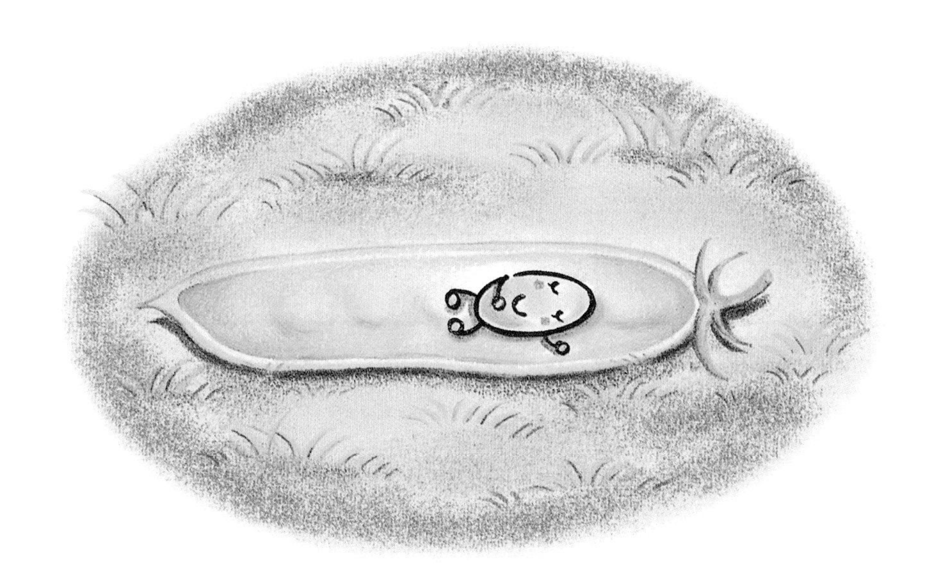

껍질콩은
팔랑팔랑 얇은 침대,

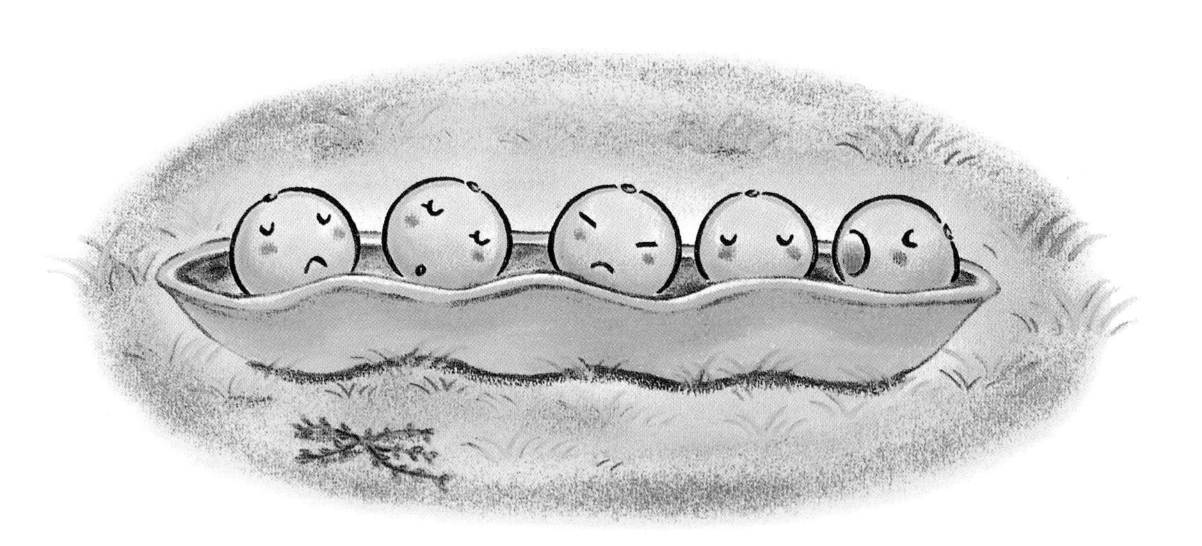

완두콩 형제들은 올록볼록 길쭉한 침대,

그리고 누에콩은 푹신푹신한 침대…….

저마다 자기만의 침대에서 새근새근 잠들었어요.

모두모두 잘 자!

다음 날, 콩알 친구들은 다 같이 민들레밭으로 놀러 갔어요.

누에콩이 만든 커다란 구멍에 솜털이 보송보송한 민들레 씨앗을 가득 깔았지요.

꼭 누에콩의 침대처럼 푹신푹신하고 부드러웠어요.

"누에콩아, 진짜 멋지다. 보여 줘서 고마워!"